육체의 시간

육체의 시간

발행	2024년 5월 30일
지은이	민현식 | 에밀리 디킨슨
발행인	민병선
펴낸곳	도서출판 섬달
출판사등록	2022년 1월 7일 제2022-000038호
주소	인천시 서구 청라한내로 7
전화	070-8736-1492
E-mail	yourminbs2@gmail.com
ISBN	979-11-92812-03-8
가격	10000원

| 들어가며 |

가면 돌아옵니다. 돌아갈까 기웃거리기도 합니다. 그렇지 못한 경우가 있습니다. 돌아오는 차 안에서 당신은 이별을 말하고 그 하루는 다시 어스름이 되었습니다. 당신과 이 혼란을 함께 하고 싶습니다.

민현식의 시 27편과 에밀리 디킨슨 (Emily Dickinson, 1830-1886)의 시 24편을 번역하여 이 책을 꾸렸습니다.

육체의 시간

1. 여기

이별

이별은
벽을 치며
문을 두드리며
올 줄 알았다

이별은 어느 날
햇살처럼 와
길을 걷게 하고
책상 앞에 앉게 하고
한참 TV를 보게 한다

이별은
술에 취해 눈물 흘리며
쓰러지는 것인 줄 알았다

이별은
이전
음으로만 날카롭게 공명되던
굴속으로 돌아가는 거였다

휑휑한 전선들 아래
그대를 위로하던 능선

우리는
송아지 우는 소리를
듣고 웃었다

나의 육체였던 그대

그 쓸쓸한 곳에서
5월을 기다려
붉게 돌아오라

이상한 손님

여느 날처럼 가게 문을 열자
10시쯤 네가 들어왔어

귀엽다고 할까 아니라고 할까

내 가게는 생존에 필요한 것들이 거의 갖춰진 편의점 같은 곳이었으니까
넌 얕고 짧은 탄식 소리를 내며 둘러보더라
그러다가 초콜릿이 든 과자와 우유를 들고 내게로 왔어

귀엽다고 할까 아니라고 할까
바코드를 찍으면서 생각했어

계산이 끝나고 네가 어깨로 문을 밀고 나가자
찬바람이 불었고 난 생각했어

널 사랑했구나

카페 앉아

나의 광기는 두려움에서 출발했다
인생을 오해하고 있다는

서 있으면 의자를 찾았고
앉으면 떠나는 기차든 사람이든
뜨겁게 사랑했다

바닷가에 있고 싶었다

이제
유리창 앞에 앉아
떠나는 사람들을
본다

가끔
먼 바다를 보러
뒷산에 오를 것 같다

온도 습도 조명

동해 남부, 기억하지 못하는 길 위에서의 기억

길옆 편의점에서
늦은 저녁을 해결하고 고양이를 유혹할 때
온도 습도 조명이 색이 되어 영혼에 스미던 곳

나는 인간이 아닌 듯
그들 인간들을 바라보고 생각하고 웅크려 잠들면

굉음 속으로 트럭들이 사라지던 곳

담긴

냉장고 속에 남겨진 스타벅스 아메리카노

내 사랑은 인스턴트가 아니라고 눈 흘기던 시절
스타벅스 머그잔에 담긴 유리병 맥심 아메리카노

소음

아침
문을 나설 때

철을 만드는
공장 소음에도
하늘과 바람이
서늘했습니다

신호등 앞
잠시 서

가로수 아직 푸른
그늘 짙은 거리를
바라보는 이 가을

주말 고마웠습니다

그대에게서

해미읍성의 순교자적 슬픔을

서산목장의 꿈결 같은 화사함을

개심사의 고즈넉한 고집을

아산만의 대단함을 봅니다

내내 건투를

목련

어떤 한심한 사람이
목련을 뒤뜰에 심어

홀로 피게 할까

다짐

더위와 추위 벌레와 전염병들 속에서 자리를 잡고
방어막을 치고 집중이 흐트러지거나 기웃거리지 않고
기약도 없는 일에 전념하는 것

백번도 넘었을 다짐
다시 하자

마침

네가 내게 했던 말
내가 네게 했던 말을 생각하면서
살아가는 것이 다시 궁금해졌다
골목길 창문들도 모두 환했으니까

꿈

꿈을 유심히 본 적이 있다
ㄱ으로 두 번 구부러져 있다가
ㅜ으로 잠시 내려가더니
ㅁ으로 버티고 있다

끔은
잠시도 내려가지 않아서
꺼진다

힘들지 말 것

위를 향할 것, 중력에 반할 것

오기로 용기를 만들 것
분업의 500배 효율에 500명이 될 것, 1000명이 될 것

조금 먹을 것
힘들지 말 것

멀고 작은

커피가 쓰다
물을 더한다
멀고 작은 맛들이 사라져 간다

창 앞에 앉아
어항 같은 세상을
열대어 같은 차들이
헤엄쳐 지나는 것을
보면

문득

어지러워서
그리워서
서러워서

차갑게 남은 뜨거운 것에 손을 뻗는다

알갱이

커피를 간다

잊을만하면 내려
잘아져 떠오르는
알갱이는

사라진 그녀와 닮았다

2. 거기

곡수, 달

반짝여서 흐르는 것을 알게 되었어
분주한 세상 위에 달이 뜨고
점점이 창들이 밝잖아

너 옆에서
반짝이는 소리 들으며
흘러 흘러갈게

강릉, 밤

김약국에서 싸전까지 같이 걸을래요?

추운 날들이었죠, 많이 걷던 날들은
한국은행부터 용지각을 돌아 터미널 쪽으로 빠져
임영고개에서 교동으로 내려갔습니다

그를 만났습니다 얇은 내 옷을 보더니 꽤 놀란 듯했습니다
괜찮았습니다 걸으며 공상하는 게 좋았거든요
그와 헤어지고 남대천 너머로 계속 걸어갔습니다

밤은 길었고 인생은 막 피어나기 시작했으니까요

삼척, 산

그림자 높은 산에서
밤이
내리고

그림자 없는 바다에서
아침이
오른다

연수동, 뒤

뒤를 돌아보니
고양이가
간다

'나비야' 불렀더니
잠시
선다

저렇게
눈물기 없이

널
바라본 적이
있었나?

울진, 그늘

그가 10개월간 머물던 곳
부처가 그늘을 내려 연못을 담았던 곳

경서동, 계절

경서동 동쪽에
눈이 온 뒤에도
개량 장미가

파리하게 노랗게
벌이나 모았던 주제에

매달려 있다

무창포, 칸나

그들은 어디에나 있는 눈빛으로 자신들의
윤회를 실행하고 있었고
햇살과 꽃무늬 양산이 구토 직전처럼
긴급하게 할 때

동네를 벗어난 철길 아래
키 큰 꽃들 옆으로
유치원 교사를 따라
아이들이 행진하고 있었다

춤추고 싶다고 뭔가 아주 환한 분위기로 네가 말했지만

있는지 없는지 모를 너의 손을 잡는 것은
너무 복잡한 거라서
난 곧
시무룩해졌다

경주, 가는 길

노트북 두 개를 싣는다
디지털 노마드니까

햇반은 편의점에서 돌릴 거니까
세상에서 땀 흘리지 않을 거니까

조암, 덜 아픈

어슷한
마을길 위에
가로등 아래
기다린다

돌아
오는
네가

1월에도
7월에도

기다리는
나를

습관처럼
알아보면
좋겠다

너의 짐을
받아 들고
보폭을
맞추고

덜아픈
집으로
간다

씻고
먹고
얘기하다

방에 들어
가는 네게

조금 큰소리로
조금 과장되게
조금 활기차게
조금 웃으면서

인사한다

잘자
수고했어

여수, 바람

비탈, 편의점에 차를 세우고
유난히 선명한 아스팔트 위로 지나는 바람의 냄새를 맡는다

날리는 머리카락을 겨우 추스르며 마셨던
겨울 속초 술꾼의 LET US BE

퇴강, 강 건너

마침내 강에 이르렀다
정부군 화살 미늘은
그를 조각냈고
아자개는
난이 평정되었다고 선포했다

사람들은

그 화살받이를
슬픈 사람이라 했고
그곳을
후퇴하여 강에 이른 곳이라 했다

김현 혹은 목포

겨울 오기 전

봄의

그의

동백에 사무쳐

목포로 간다

우아하고

기품 있고

꼿꼿하고 싶었다

창문 앞

꿈꾸듯 서

테니스 치는 일꾼들을 비웃고 싶었다

더 이상 삶도

더 이상 각성도 없을 거였다

그렇게 큰 부산

영도다리 건너
슬픔은
상처는
광복동쪽과 마찬가지로
여전해야 했다

전화번호도 알리지 않는 명조체 간판의 병원과
골목 깊숙이 외딴 여관을 지나

평일이라 덜 복잡했을 해변길에
저기서 떴다 여기로 지던 용왕의 석양과
어슴푸레하게 바다로 향한 사람의 창문을 번갈아 보며
증발하지 못하는 것들이 바다로 모이는 거라 생각했다

사람들은
길가의 가게에서
새로운 상처일 수 있는
악세사리를 사서
가슴 쪽에 달고

계단의 가파름
겨울의 추움
여름의 더움을
적절한 비밀처럼
소곤거렸다

그런데 꺾어지는
골목마다
먼 바다가 불쑥불쑥
튀어 오르니

우리가 우리의
슬픔과 상처에 집중하는 것이
조금 어려워졌다

3. Emily Dickinson

MORNS LIKE THESE - WE PARTED -

Morns like these - we parted
Noons like these - she rose!
Fluttering first - then firmer
To her fair repose -
Never did she lisp it
And 'twas not for me -
She was mute for transport
I, for agony!
Till the evening nearing
One the shutters drew -
Quick! a sharper rustling!
And this linnet flew!

이런 아침에 - 우린 헤어졌습니다 -

이런 아침에 - 우린 헤어졌습니다

이런 정오에 - 그녀는

처음엔 어쩔 줄 몰라하더니 - 곧 단호하게

자신의 안식을 당당히 맞이했습니다

그녀는 어린애처럼 굴지 않았습니다

나도 마찬가지였습니다 -

그녀는 이별을 말하지 않았고

나는 고통을 말하지 않았습니다!

저녁때까지

가림막이 내려져 있었습니다 -

갑자기! 바스락거리는 소리가 조금 커지더니!

홍방울새처럼 그녀가 떠났습니다!

SO HAS A DAISY VANISHED

So has a Daisy vanished

From the fields today -

So tiptoed many a slipper

To Paradise away -

Oozed so, in crimson bubbles

Day's departing tide -

Blooming - tripping - flowing -

Are ye then with God?

데이지가 사라졌습니다

데이지가 사라졌습니다

오늘 들에서 -

난초들도 발끝을 세워

낙원으로 사라졌습니다 -

분홍빛 거품처럼 생겨나

하루가 저물어 가는 썰물에 -

꽃피고 - 서둘러 - 흘러가 -

그렇게 하느님에게 간 건가요?

ADRIFT! A LITTLE BOAT ADRIFT!

Adrift! A little boat adrift!
And night is coming down!
Will no one guide a little boat
Unto the nearest town?

So Sailors say - on yesterday -
Just as the dusk was brown
One little boat gave up its strife
And gurgled down and down.

So angels say - on yesterday -
Just as the dawn was red
One little boat - o'erspent with gales -
Retrimmed its masts - redecked its sails -
And shot - exultant on!

표류하고 있어요! 작은 배가 표류하고 있어요!

표류하고 있어요! 작은 배가 표류하고 있어요!
밤이 내리고 있어요!
이 작은 배를 가장 가까운 항구로
인도할 사람 없을까요?

그러자 선원들은 - 어제 - 말했어요 -
어둠이 짙어지면
이 작은 배는 모든 걸 포기하고
물이 차올라 아래로 아래로 가라앉을 거라고

그러나 천사들은 - 어제 - 말했죠 -
빨갛게 동이 트면
강풍에 지친 작은 배가
돛대를 다시 고치고 - 돛을 다시 세워
환희에 차 계속 나아갈 거라고!

SUMMER FOR THEE, GRANT I MAY BE

Summer for thee, grant I may be
When Summer days are flown!
Thy music still, when Whippowill
And Oriole - are done!

For thee to bloom, I'll skip the tomb
And row my blossoms o'er!
Pray gather me -
Anemone -
Thy flower - forevermore!

당신의 여름이 될 수 있게 해 주세요

당신의 여름이 될 수 있게 해 주세요
여름날들이 지나가면!
당신의 음악이 되게 해 주세요, 쏙독새와
찌르레기가 - 더 이상 울지 않을 때면!

당신이 피어날 수 있도록, 무덤을 지나며
꽃망울들을 뿌리겠습니다!
저를 거둬주세요 -
아네모네 -
당신의 꽃입니다 - 영원보다 더 오랫동안!

WHEN ROSES CEASE TO BLOOM, SIR,

When Roses cease to bloom, Sir,
And Violets are done -
When Bumblebees in solemn flight
Have passed beyond the Sun -
The hand that paused to gather
Upon this Summer's day
Will idle lie - in Auburn -
Then take my flowers - pray!

장미가 시들 때

그대여, 장미가 이제 시들고,

제비꽃도 졌네요 -

우아하게 날아가던 호박벌들이

해 너머로 지나가면,

꽃을 모으던 손은

여름날

한가로이 내려져 있겠죠 - 묘지에서 -

그땐 나의 꽃들도 가져가 주세요 - 기도합니다!

IF RECOLLECTING WERE FORGETTING,

If recollecting were forgetting,
Then I remember not.
And if forgetting, recollecting,
How near I had forgot.
And if to miss, were merry,
And to mourn, were gay,
How very blithe the fingers
That gathered this, Today!

당신을 떠올리는 것이 잊는 거라면

당신을 떠올리는 것이 잊는 거라면
기억나는 것이 없습니다.
당신을 잊는 것이 떠올리는 거라면
당신을 거의 잊은 거겠죠.
그럼, 그리움은 즐겁고
슬픔은 신나는 건가요?
그럼, 오늘 이 꽃을 꺾는 내 마음은
너무 편하다고 할 수 있겠네요!

GARLAND FOR QUEENS, MAY BE -

Garland for Queens, may be -

Laurels - for rare degree

Of soul or sword.

Ah - but remembering me -

Ah - but remembering thee -

Nature in chivalry -

Nature in charity -

Nature in equity -

This Rose ordained!

아마도, 이건 여왕들을 위한 화환 -

아마도 이건 여왕들을 위한 화환 -

업적에 대한 - 월계관

영혼 또는 검의 탁월한 업적에 대한 영예일 수도 있겠지요

아, 그러나 저에게 -

아, 그리고 당신에게 - 이건

기사도 -

너그러움 -

공평함 -

하느님이 내리신 장미입니다!

NOBODY KNOWS THIS LITTLE ROSE

Nobody knows this little Rose -

It might a pilgrim be

Did I not take it from the ways

And lift it up to thee.

Only a Bee will miss it -

Only a Butterfly,

Hastening from far journey -

On its breast to lie -

Only a Bird will wonder -

Only a Breeze will sigh -

Ah Little Rose - how easy

For such as thee to die!

아무도 이 작은 장미를 알지 못합니다

아무도 이 작은 장미를 알지 못합니다 -
마치 순례자와 같죠
제가 길가에서 꺾어와서
당신께 바치지 않았나요
벌들만이 그리워하겠죠 -
나비들만이
먼 여행에서 서둘러 돌아와 -
그 가슴에 누웠죠 -
새들만이 궁금해할 거예요 -
바람만이 한숨을 쉴 거예요 -
아, 작은 장미야 - 너무도 쉽게
넌 사라지는구나!

SNOW FLAKES

I counted till they danced so
Their slippers leaped the town,
And then I took a pencil
To note the rebels down.
And then they grew so jolly
I did resign the prig,
And ten of my once stately toes
Are marshalled for a jig!

눈송이

눈들이 춤출 때까지 하나씩 세어보고 있었어요
눈발이 마을 위에 휘몰아치고 있네요
연필을 들어
이 반군들을 적어 내려 가요
눈송이들이 아주 즐거워하자
난 호들갑을 떨 수밖에 없었죠
가지런하던 내 발가락 열 개 모두가
지금 까딱대고 있어요!

WHEN I COUNT THE SEEDS

When I count the seeds

That are sown beneath,

To bloom so, bye and bye -

When I con the people

Lain so low,

To be received as high -

When I believe the garden

Mortal shall not see -

Pick by faith its blossom

And avoid its Bee,

I can spare this summer, unreluctantly.

씨앗을 세어 봅니다

씨앗은
땅 아래에 뿌려져
잠시 피었다가 사라지고 -

사람은
저 멀리 지하에서 잠들어 있다가
천국에 받아들여질 수 있어요 -

이 정원에서
사람들은 모르겠지만 -
믿음으로 꽃송이를 따고
벌을 피하다가
난, 기꺼이, 이 여름을 버릴 수도 있어요

I ROBBED THE WOODS -

I robbed the Woods -

The trusting Woods.

The unsuspecting Trees

Brought out their Burrs and Mosses -

My fantasy to please -

I scanned their trinkets curious - I grasped - I bore away -

What will the solemn Hemlock -

What will the Oak say?

털어 버렸어요 -

제가 숲을 털어 버렸어요 -

숲은 저를 믿고 있었는데 말이죠

나무들은 순진하게도

가시와 이끼를 드러내고 있었어요

황홀한 환상에 빠져

호기심 가득한 눈으로 그들의 장신구들을 살펴보았어요

- 움켜쥐고는 - 빼앗아 버렸죠 -

저 장엄한 솔송나무는 뭐라고 할까요 -

저 참나무는 또 뭐라고 할까요?

COULD LIVE - DID LIVE -

Could live - did live -
Could die - did die -
Could smile upon the whole
Through faith in one he met not,
To introduce his soul.

Could go from scene familiar
To an untraversed spot -
Could contemplate the journey
With unpuzzled heart -

Such trust had one among us,
Among us not today -
We who saw the launching
Never sailed the Bay!

살 뻔하다가 - 진짜 살기도 하고 -

살 뻔하다가 - 진짜 살기도 하고
죽을 뻔하다가 - 진짜 죽기도 합니다
미지의 것에 대한 믿음으로
자신의 영혼을 드러내는 사람은
모든 것에 미소 지을 수 있습니다

익숙한 곳을 떠나
가본 적 없는 곳으로 갈 수도 있고 -
담담히
그 여행을 대비할 수도 있죠 -

예전엔 그랬습니다,
요즘 같지 않았습니다 -
우린 배만 띄우고
근처 바다도 항해하지 않잖아요!

IF I SHOULD DIE,

If I should die,

And you should live,

And time should gurgle on,

And morn should beam,

And noon should burn,

As it has usual done;

If birds should build as early,

And bees as bustling go, -

One might depart at option

From enterprise below!

'T is sweet to know that stocks will stand

When we with daisies lie,

That commerce will continue,

And trades as briskly fly.

It makes the parting tranquil

And keeps the soul serene,

That gentlemen so sprightly

Conduct the pleasing scene!

내가 죽어도,

내가 죽어도

당신이 살고

시간은 소리 내며 지나지고

아침은 빛나며

정오가 불타오르면,

항상 그랬던 것처럼;

새들이 일찍부터 둥지를 짓고

벌들이 분주하게 움직이면, -

자유롭게 떠날 수 있을 거예요

이 세상에서!

세상이 계속되는 것은 멋진 일이잖아요

우리가 데이지꽃과 함께 누워 있을 때에도

무역이 계속되고

거래가 활기차게 이어질 것이라는 것을 알게 되면요

이별이 평온해지고

영혼은 고요해지겠죠

활기 넘치는 신사들이

그렇게 즐거운 장면들을 만들어 갈 것을 알게 되면요!

A LADY RED - AMID THE HILL

A Lady red - amid the Hill
Her annual secret keeps!
A Lady white, within the Field
In placid Lily sleeps!

The tidy Breezes, with their Brooms -
Sweep vale - and hill - and tree!
Prithee, My pretty Housewives!
Who may expected be?

The neighbors do not yet suspect!
The woods exchange a smile!
Orchard, and Buttercup, and Bird -
In such a little while!

And yet, how still the Landscape stands!
How nonchalant the Hedge!
As if the "Resurrection"
Were nothing very strange!

붉은 아가씨가 - 언덕 한가운데

붉은 아가씨가 - 언덕 한가운데
매년 비밀을 지키고 있어요!
하얀 아가씨 - 들판에서
백합은 뒤척이지도 않고 잠들어 있어요!

단정한 바람이, 빗자루를 들고 -
계곡 - 언덕 - 나무들을 쓸고 가요!
저런, 나의 귀여운 아가씨들!
누가 올 거라고 기대하는 거죠?

이웃 사람들은 아직 눈치 못 채고 있지만요!
숲은 서로 미소를 나누고 있고요!
과수원, 작고 노란 꽃, 그리고 새들이 달라지고 있어요 -
그렇게 짧은 시간 동안에!

그런데도 풍경은 얼마나 고요하게 서 있나요!
덤불들은 얼마나 무심하게 보이나요!
마치 "부활"이
별거 아닌 것처럼 말이에요!

EXULTATION IS THE GOING

Exultation is the going
Of an inland soul to sea,
Past the houses -
Past the headlands -
Into deep Eternity -

Bred as we, among the mountains,
Can the sailor understand
The divine intoxication
Of the first league out from Land?

환희는 떠나는 것입니다

환희는 떠나는 것입니다
내륙의 영혼이 바다로 향하는 것
집들을 지나서 -
곶들을 지나서 -
깊은 영원 속으로 -

우리처럼 산속에서 태어난
선원들이 이해할 수 있을까요
술에 취한 듯 신성하게 흥분하여
첫 바닷길에 나서는 것을?

WITHIN MY REACH!

Within my reach!

I could have touched!

I might have chanced that way!

Soft sauntered thro' the village -

Sauntered as soft away!

So unsuspected Violets

Within the meadows go -

Too late for striving fingers

That passed, an hour ago!

바로 옆에 있었는데!

바로 옆에 있었는데!
만질 수도 있었는데!
그 길로 지나갈 수도 있었는데!
아무 생각 없이 마을을 통과해서 -
아무 생각 없이 지나쳤지요!
생각지도 못한 제비꽃들이
풀밭 안에 있었는데 -
안타까워해도 너무 늦었습니다
한 시간이나 지났어요!

SO BASHFUL WHEN I SPIED HER!

So bashful when I spied her!
So pretty - so ashamed!
So hidden in her leaflets
Lest anybody find -

So breathless till I passed here -
So helpless when I turned
And bore her struggling, blushing,
Her simple haunts beyond!

For whom I robbed the Dingle -
For whom betrayed the Dell -
Many, will doubtless ask me,
But I shall never tell!

내가 바라보자 그녀는 아주 수줍어했어요!

내가 바라보자 그녀는 아주 수줍어했어요!
너무 아름다웠고 - 너무 부끄러워했죠!
나뭇잎 사이에 숨어있어
아무도 발견하지 못했죠 -

여기 지나갈 때에는 숨을 쉴 수가 없었어요 -
어찌할 줄 몰랐죠
그리고는 겨우, 얼굴까지 붉히며, 그녀를 데리고 갔어요
그녀가 머물던 소박한 곳 너머로!

난 누구를 위해서 이 깊은 골짜기를 약탈했을까요 -
누구를 위해서 이 그윽한 골짜기를 배신했을까요 -
분명히 많은 사람들이, 내게 묻겠지만,
난 절대 말하지 않을 거예요!

WILL THERE REALLY BE A "MORNING"?

Will there really be a “Morning”?
Is there such a thing as “Day”?
Could I see it from the mountains
If I were as tall as they?

Has it feet like Water lilies?
Has it feathers like a Bird?
Is it brought from famous countries
Of which I have never heard?

Oh some Scholar! Oh some Sailor!
Oh some Wise Men from the skies!
Please to tell a little Pilgrim
Where the place called “Morning” lies!

정말 "아침"은 있을까요?

정말 "아침"은 있을까요?
"낮"이라는 것이 있을까요?
산 위에서는 볼 수 있을까요
내가 산만큼 크다면?

아침은 수련처럼 발이 있을까요?
아침은 새처럼 깃털이 있을까요?
아침은 들어 본 적 없는 어떤
유명한 나라들에서 왔을까요?

배운 사람이든! 뱃사람이든!
하늘의 지혜를 갖은 사람이든!
이 가여운 순례자에게 말해주세요
"아침"이라는 곳이 어디 있는지!

OUR SHARE OF NIGHT TO BEAR -

Our share of night to bear -
Our share of morning -
Our blank in bliss to fill,
Our blank in scorning -

Here a star, and there a star,
Some lose their way!
Here a mist - and there a mist -
Afterwards - Day!

우리가 견뎌야 하는 밤의 몫 -

우리가 견뎌야 하는 밤의 몫 -
우리가 맞이해야 하는 아침의 몫 -
우리가 행복으로 채워야 하는 공백,
우리가 경멸로 채워야 하는 공백 -

여기도 별, 저기도 별,
어떤 별들은 길을 잃기도 합니다!
여기도 안개 - 저기도 안개 -
그러고 나서 - 한 낮이 찾아옵니다!

IF THIS IS "FADING"

If this is “fading”

Oh let me immediately “fade”!

If this is “dying”

Bury - me, in such a shroud of red!

If this is “sleep,”

On such a night

How proud to shut the eye!

Good evening, gentle Fellow men!

Peacock presumes to die!

만약 이게 "사라지는 것"이라면

만약 이게 "사라지는 것"이라면

오, 나를 즉시 "사라지게" 해주세요!

만약 이게 "죽는 것"이라면

저렇게 빨간 수의를 입혀 - 나를 묻어 주세요!

만약 이게 "자는 것"이라면,

이런 밤에

눈을 감는 것은 얼마나 자랑스러울까요!

다정한 사람들아, 하루가 저물어 가고 있어요!

마치, 거만한 공작이 죽어가는 것처럼요!

COCOON ABOVE! COCOON BELOW!

Cocoon above! Cocoon below!
Stealthy Cocoon, why hide you so
What all the world suspect?
An hour, and gay on every tree
Your secret, perched in ecstasy
Defies imprisonment!

An hour in Chrysalis to pass,
Then gay above receding grass
A Butterfly to go!
A moment to interrogate,
Then wiser than a "Surrogate,"
The Universe to know!

위에도 고치! 아래도 고치!

위에도 고치! 아래도 고치!

은밀한 고치들아, 넌 왜 그렇게 숨기고만 있는 거니?

세상 모두가 궁금해하고 있어.

한 시간만 지나면, 나무들 위에서 즐거워하며

황홀해하던, 너의 숨겨진 비밀이

드러나겠지!

한 시간 동안 저기 멀찍이 풀 위에 놓여 있던

번데기가

나비가 되어 날아가는구나!

잠시 궁금했는데,

"이전"엔 잘 몰랐지만

이젠 모르는 사람은 없겠지!

PERHAPS YOU'D LIKE TO BUY A FLOWER,

Perhaps you'd like to buy a flower,
But I could never sell -
If you would like to borrow,
Until the Daffodil

Unties her yellow Bonnet
Beneath the village door,
Until the Bees, from Clover rows
Their Hock, and Sherry, draw,

Why, I will lend until just then,
But not an hour more!

아마 당신이 꽃 한 송이를 사고 싶을 수도 있지만

아마 당신이 꽃 한 송이를 사고 싶을 수도 있지만
난 절대 팔 수 없어요 -
꽃 한 송이를 빌리고 싶으시다면
수선화가

노란 모자를 풀어
문 아래쪽에 둘 때까지
벌들이 토끼풀밭에서
하얀 술을 빨 때까지

아, 그때까지는 빌려 드릴게요,
하지만 한 시간 이상은 안돼요!

FLOWERS - WELL - IF ANYBODY

Flowers - Well - if anybody
Can the ecstasy define -
Half a transport - half a trouble -
With which flowers humble men:
Anybody find the fountain
From which floods so contra flow -
I will give him all the Daisies
Which upon the hillside blow.

Too much pathos in their faces
For a simple breast like mine -
Butterflies from St. Domingo
Cruising round the purple line -
Have a system of aesthetics -
Far superior to mine.

꽃들요? - 글쎄 - 누가

꽃들요? - 글쎄 - 누가
그 환희를 정의 내릴 수 있을까요? -
반은 황홀함으로 - 반은 괴로움으로 -
꽃들은 사람들을 겸손하게 하지요:
누구나 알 수 있어요 꽃들에게로
홍수가 거꾸로 난 듯 뭔가 흘러 들어가는 것을 -
난 그에게 모든 데이지꽃들을 드릴 거예요
언덕 위에서 넘실대고 있잖아요.

데이지꽃들은 너무나 애처롭게 보이네요
나처럼 단순한 사람에게는 -
세인트 도밍고에서 바다를 넘어온 나비들이
자주색 데이지꽃들을 따라 날고 있어요 -
나비는 정원을 아름답게 해요 -
내가 할 수 있는 것보다 훨씬 아름답게 하죠.

AT LAST, TO BE IDENTIFIED!

At last - to be identified!

At last - the Lamps upon your side -

The rest of Life - to see -

Past Midnight - Past the Morning Star -

Past Sunrise - Ah, What leagues there were -

Between Our Feet - and Day!

마침내, 알게 되었습니다!

마침내 - 알게 되었습니다!
마침내 - 당신 옆의 등불들로 -
나머지 삶을 - 보게 되었습니다 -

자정을 지나 - 아침 별이 뜨고 -
해가 뜨고 - 아, 얼마나 먼 여정이었는지요 -
드디어 - 우린 낮에 도착했네요!